DISNEP

Mes premiers livres Winnie l'Ourson ᴹᴰ

Winnie va chez le médecin

Texte original de
Kathleen W. Zoehfeld

Traduction de
Chrystiane Harnois

Illustrations de
Robbin Cuddy

GROLIER

Basé sur les œuvres Winnie l'Ourson de A. A. Milne
(copyright The Pooh Properties Trust).

Imprimé aux États-Unis

Dépôt légal 1er trimestre 2000
Bibliothèque nationale du Québec

ISBN 0-7172-3257-3

« Jean-Christophe dit que le temps est venu pour moi d'aller passer un *examen animal*», annonce Winnie l'Ourson. «Il m'attend chez Maître Hibou avec sa trousse de médecin.»

«Trousse de médecin!?» s'écrie Porcinet. «Oh, non! P-p-pauvre W-Winnie, tu es malade!»

«Malade!?» répète Winnie. «Non, je vais bien. Quoique je dois admettre que je ressens un léger gargouillement dans l'estomac.»

« C'est donc ça ! » s'exclame Porcinet.

« Quoi donc ? » demande Winnie.

« Ton estomac. Il doit être malade », dit Porcinet.

« L'est-il vraiment ? » s'enquiert Winnie.

« Ne l'est-il pas ? » demande Porcinet.

« Ma foi, oui, peut-être. Je crois », dit Winnie.
Son estomac émet toutes sortes de bruits.

« Oh, là, là », lance Porcinet.
« Allons-y ensemble. C'est moins
inquiétant à deux. »

« Entre, Winnie ! » l'invite Tigrou,
qui a installé un bureau près de l'entrée
de la maison de Maître Hibou.
« Ce sera ton tour dès que Maître
Hibou aura terminé avec Petit
Gourou. »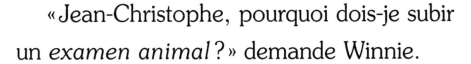

« Jean-Christophe, pourquoi dois-je subir
un *examen animal* ? » demande Winnie.

« Sacré Winnie », dit Jean-Christophe. « Pas
un *examen animal*, un *examen médical*. Il faut
juste s'assurer que tu es en bonne santé.
Aujourd'hui, Maître Hibou va te donner une
piqûre spéciale pour t'aider à rester en santé. »

« Une piqûre ! » s'écrie Winnie. Son estomac se retourne.

« Une piqûre ? » répète Porcinet. « Oh, mon dieu ! »

« Ne vous en faites pas », les rassure Jean-Christophe. « Ça ne fait mal que pendant quelques secondes, et le médicament qu'on injectera aidera à contrer les oreillons, la rougeole et d'autres maladies du même genre. »

« Grillons et rossignol », chuchote Winnie à l'oreille de Porcinet. « C'est affreux. »

« Affreusement, oui », acquiesce Porcinet.

À ce moment, Petit Gourou sort de chez Maître Hibou en bondissant gaiement. «J'ai passé mon examen—c'était facile!» s'exclame-t-il. «J'en voudrais un bleu, Tigrou, s'il te plaît.»

Tigrou gonfle un beau ballon bleu pour Petit Gourou.

«Winnie, c'est à toi», appelle Coco Lapin, qui agit à titre d'infirmier.

«B-bonne chance», dit Porcinet.

Winnie entre dans la maison de Maître Hibou accompagné de son ami Jean-Christophe.

Il fait chaud dans la maison de Maître Hibou et c'est parfait ainsi, car Coco Lapin demande à Winnie de retirer sa chemise.

«Assieds-toi sur cette table, mon bon petit ourson», lui indique Coco Lapin. Puis Coco Lapin installe une large bande autour du bras de Winnie.

Il gonfle la bande avec une pompe, et la bande se resserre de plus en plus.

«Comment te sens-tu?» demande Coco Lapin.

«Un peu serré», répond Winnie.

«Ce manomètre m'indique que ta pression artérielle est parfaite», explique Coco Lapin.

« Monte maintenant sur la balance. Nous allons te peser et te mesurer. . . Voilà! La taille parfaite pour un ourson de ton âge, avec par contre un léger embonpoint. Mais un peu d'exercice devrait régler ça. . .»

«Je fais mes exercices de mise en bons points tous les matins», dit Winnie.

«Excellent», le félicite Coco Lapin. «Continue ainsi. Si vous voulez bien m'excuser maintenant, j'ai des tâches très importantes à accomplir. Maître Hibou sera ici dans un instant.»

Jean-Christophe tapote l'épaule de Winnie pour le rassurer au moment où Maître Hibou entre. «Si ce n'est pas Winnie l'Ourson!» s'exclame-t-il. «Belle journée pour un examen, n'est-ce pas? Comment vas-tu?»

«J'ai quelques gargouillements dans l'estomac», avoue Winnie.

«*A-ah*, fait Maître Hibou, je vois.» Maître Hibou touche le ventre de Winnie. Puis il examine son cou et touche sous ses bras. «Tout semble être là où il se doit.»

«Oh. . . c'est bien», glousse Winnie.

« Ah, et mon spéculum de Siegle est également là où il se doit—dans ma trousse », dit Maître Hibou.

« Un *spé-quoi* ? » demande Winnie.

« Rien de plus qu'une petite lampe de poche », explique Maître Hibou. « Il me permettra d'examiner tes oreilles. . . hmmm. . . tes yeux. . . très bien. . . ton nez. . . excellent. . . et ta bouche et ta gorge. Ouvre bien grand et fais aaaaaah. »

« Aaaaaah », fait Winnie. Maître Hibou appuie doucement un abaisse-langue sur la langue de Winnie.

« Merveilleux ! » s'exclame Maître Hibou.

Maître Hibou sort ensuite de sa trousse un petit marteau en caoutchouc. «Les réflexes maintenant!» annonce-t-il.

«C'est quoi un réflexe?» demande Winnie.

«Un tout petit coup sur ton genou et tu comprendras», répond Maître Hibou. Il frappe le genou de Winnie et aussitôt, sa jambe se soulève.

«Oh, fais-le encore», dit Winnie. «C'était amusant.» Maître Hibou frappe l'autre genou de Winnie, et l'autre jambe se soulève aussi.

« Maintenant, voici un stéthoscope », dit Maître Hibou. « C'est un instrument qui nous permet d'écouter. »

« Écouter quoi ? » demande Winnie.

« Ton cœur », répond Maître Hibou. « Aimerais-tu l'entendre battre ? »

Winnie écoute son cœur qui bat—

po-poum, po-poum, po-poum.

Cela lui fait penser à un poème, un petit poème joyeux. Si bien que Winnie n'est pas du tout inquiété lorsque Maître Hibou lui dit. . .

« Assieds-toi sur Jean-Christophe, mon bon Winnie. Je dois maintenant te donner ta piqûre. »

« Je sais que ça ne fera mal que quelques secondes et que ça m'évitera d'attraper les grillons et le rossignol », dit Winnie, bravement.

« Tu veux dire les oreillons et la rougeole », le corrige Maître Hibou.

« Porcinet peut-il venir me tenir la patte ? » demande Winnie.

« Bien sûr », répond Maître Hibou.

Lorsque Maître Hibou a fini, Coco Lapin entre avec un pansement. «Tu ne sentiras plus rien dans le temps de le dire», dit-il, en mettant le pansement sur le bras de Winnie.

«Génial!» dit Porcinet. «Tu n'as même pas pleuré!»

«Un examen médical, ce n'est rien pour un brave ourson comme Winnie», dit Jean-Christophe.

«Que pourrais-je ajouter de plus, c'est le genre d'ourson que je suis», se dit Winnie, en enfilant sa chemise.

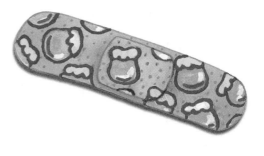

« Winnie, dit Maître Hibou, tu es en parfaite santé, mais ton estomac est un peu agité. Je te prescris un gros pot de miel dès ton retour à la maison. »

Winnie se tourne vers Jean-Christophe, l'air inquiet. «Presse et crie un gros pot. . ?» murmure Winnie. «Est-ce que ça veut dire que je ne peux plus manger de miel?»

«Au contraire. Tu peux en manger dès que tu voudras», répond Jean-Christophe.

«J'en prendrais bien tout de suite, dans ce cas», dit Winnie, dont l'estomac se porte déjà mieux.

« Au revoir, Winnie ! » lance Tigrou. « N'oublie pas ton ballon ! »

« Merci, Tigrou », dit Winnie. Puis Winnie offre le ballon à Porcinet et les deux amis rentrent tranquillement à la maison.